Cet ouvrage est paru en anglais sous le titre: *Celine Dion – Let's Talk About Love*
© Carlton Books Limited, 1998 pour le texte et le design.

CHEF DE PROJET : Lucian Randall
RÉVISION DU TEXTE ANGLAIS : Allie Glenny
DIRECTION ARTISTIQUE : Zöe Maggs
CONCEPTION : Simon Balley
RECHERCHE PHOTOGRAPHIQUE : Jane Lambert
MISE EN PAGES : Rive-Sud Typo Service inc.
TRADUCTION : Ginette Hubert et Lucie Legault pour les Traductions Jean-Guy Robert enr.
RÉVISION LINGUISTIQUE : Christiane Gauthier

Les traductrices tiennent à remercier Sylvain Beauregard
(Passion Céline Dion, http://www.celine-dion.net) pour avoir répondu
à de nombreuses questions.

ISBN 2-89249-805-8

Dépôt légal 1998
Bibliothèque nationale du Québec
Imprimé en Italie
Éditions du Trécarré
Saint-Laurent (Québec) Canada

Céline Dion

TOUT SIMPLEMENT

JEREMY DEAN

TRÉCARRÉ

Table des matières

La chanson d'amour est, dans sa simplicité, un langage universel. Elle permet de communiquer des émotions qui n'ont rien à voir avec la sentimentalité souvent mièvre et stéréotypée de la chanson pop et exprime, tel un poème d'amour sincère, des sentiments profonds et intenses. Il arrive que ce genre familier soit interprété par une voix capable d'insuffler aux chansons assez de magie pour qu'elles fassent vibrer le cœur des foules, sans distinction de classe sociale, de religion, de couleur ou de langue maternelle. L'amour et la musique ont toujours fait battre le cœur de Céline Dion.

Céline a été habitée par la chanson avant même d'avoir prononcé ses premiers mots. Toute jeune, peu de choses la distinguaient des autres enfants de son milieu. Petit à petit toutefois, il a fallu reconnaître que cette petite Québécoise ordinaire possédait un talent particulier, un talent qui serait un jour reconnu par des millions de gens à travers le monde. Ce talent, c'était celui d'exprimer son âme en chantant, une âme intense, insaisissable et secrète. Ce talent allait faire d'elle quelqu'un de précieux et de recherché, et faire en sorte que son nom, Céline Dion, soit sur les lèvres de millions de fans fidèles.

Introduction

Qu'une jeune Québécoise chante et aime faire de la musique avec sa famille et les amis de celle-ci n'avait en soi rien d'exceptionnel. Son père jouait de l'accordéon, sa mère, du violon, et ses frères et sœurs chantaient et jouaient de divers instruments. Ils étaient tous talentueux et se produisaient sur des scènes locales comme musiciens semi-professionnels. Céline a déjà souligné qu'elle n'était pas la plus talentueuse de la famille, « simplement la plus chanceuse ». Malgré la désarmante modestie qu'on lui connaît, Céline Dion n'en a pas moins démontré dès ses premières années un talent hors du commun, exceptionnel. Elle n'avait que cinq ans quand elle a chanté en public pour la première fois.

Au Canada, musique et chanson font depuis longtemps partie intégrante des traditions populaires. S'il est naturel que bien des jeunes chantent ou jouent d'un instrument, ce n'est pas tous les jours qu'on peut voir une jeune fille sortir du rang, s'élever au statut de vedette locale, continuer sur sa lancée puis devenir l'une des artistes les

plus populaires du monde. C'est ce qu'a fait Céline Dion.

Derrière la diva-superstar de la musique pop, il y a toujours la petite fille qui a connu d'humbles débuts et qui a conservé les valeurs familiales qu'on lui a inculquées. Journalistes et biographes ont fouillé son passé. Ils ont questionné ses amis et ses relations à la recherche de détails aussi sensationnels que son succès, une faille dans sa personnalité ou un secret inavouable, mais en vain. Alors, qu'est-ce qui fait que Céline Dion plaît à un si vaste public ? Le secret réside dans son histoire. Une histoire où se conjuguent amour, romantisme, bienveillance, compassion, travail acharné et ambition dévorante. Une histoire qui raconte comment Céline, d'enfant prodige qu'elle était, est devenue une star internationale récipiendaire de nombreux prix, une star qui vient de mériter le prestigieux Ordre du Canada pour une carrière qui a connu son point culminant lors d'une prestation devant plus de trois milliards et demi de téléspectateurs.

CI-DESSUS : *Derrière la diva du pop, il y a toujours la petite fille qui a conservé les valeurs familiales qu'on lui a inculquées.*

*L*e conte de fées de Céline a débuté le 30 mars 1968. Elle est née et elle a grandi à Charlemagne, une petite ville tranquille d'environ 6 000 habitants, située à 30 km à l'est de Montréal. Même son nom est inspiré de la musique, sa mère l'ayant choisi d'après une chanson de Hugues Aufray intitulée *Céline*. Avec huit sœurs et cinq frères, la benjamine de la famille Dion a été chaleureusement accueillie à sa venue au monde.

Les parents Dion, comme la majorité des Québécois francophones, sont catholiques. En épousant Thérèse Tanguay, Adhémar était loin de songer à fonder une grosse famille. En réalité, il ne voulait pas d'enfants mais il a fini par se rendre aux arguments de sa femme qui avait, de toute évidence, des vues bien différentes. Ou c'est peut-être que, comme l'a déjà dit Céline en plaisantant : « Vous savez, ils n'avaient ni la télé ni la radio à l'époque. Que pouvaient-ils faire d'autre ? »

Adhémar Dion a exercé divers métiers — inspecteur des viandes, bûcheron, gardien de prison, gardien de sécurité dans un centre pour jeunes délinquants, musicien folklorique semi-professionnel — avant de s'occuper du restaurant familial où tous les

Ma vie est un conte de fées.

membres de la famille participaient à la préparation des repas, servaient aux tables, faisaient de la musique et chantaient à tour de rôle.

Céline a chanté pour la première fois devant un public autre que sa famille immédiate au mariage de son frère Michel. Elle n'avait que cinq ans mais elle se souvient de ce qu'elle a éprouvé quand, sa prestation terminée, elle a été récompensée de ses efforts par des applaudissements enthousiastes et flatteurs. C'est à ce moment qu'elle a compris que c'était ce pour quoi elle était faite. Sa destinée était toute tracée.

C'est au resto-bar familial, *Le Vieux Baril*, que Céline s'est familiarisée avec le public. Âgée de cinq ans et dotée d'une voix d'une puissance inhabituelle pour son âge, elle y interprétait, debout sur une table, des chansons qu'elle entendait à la maison. Elle pigeait entre autres dans le répertoire de la populaire Ginette Reno.

CI-CONTRE : *Adhémar et Thérèse Dion, ses parents bien-aimés.*

La petite fille à la voix puissante et enveloppante est rapidement devenue l'attraction principale du restaurant des Dion. Elle n'avait même pas 12 ans et les clients s'informaient du moment où elle allait chanter avant de réserver leur table. Quand Céline chantait, les affaires étaient bonnes. Dans la région, « la p'tite Québécoise » était une vedette.

Quand il faisait chaud, le spectacle avait lieu à l'extérieur, derrière le restaurant. Tous les enfants Dion qui étaient disponibles jouaient d'un instrument pendant que Céline chantait. Dérangés par le bruit, les voisins alertaient parfois la police. Céline se souvient que les policiers dépêchés sur les lieux étaient gentils : « Ils prenaient toujours le temps de boire quelque chose avec nous. »

Le commerce avait beau être florissant, l'argent qu'il rapportait ne suffisait pas à faire vivre une famille de 16 personnes. Les temps étaient difficiles pour les Dion qui avaient du mal à joindre les deux bouts. Les spectacles qu'ils donnaient dans la région lors de réceptions, de fêtes de famille et de mariages leur procuraient un revenu d'appoint dont ils avaient grand besoin. En général, Adhémar jouait de l'accordéon, Thérèse du violon et, à tour de rôle, les enfants jouaient des divers instruments et chantaient.

Rendre visite aux parents et aux amis était pratiquement impossible — ils ne pouvaient pas tous s'entasser dans l'auto familiale et, de toute façon, ils étaient trop nombreux pour arriver chez des gens le dimanche, à l'heure du repas. C'étaient donc les autres qui se déplaçaient. Presque tous les week-ends, et surtout le dimanche midi, la famille se faisait encore plus nombreuse car les jambons et les viandes cuisinées par Thérèse étaient appréciés des parents et amis.

La porte des Dion était toujours ouverte et ce, pour une raison bien simple. Tous les membres de la famille étaient musiciens ou artistes, et les enfants plus vieux se produisaient souvent à des réceptions ou dans des clubs de la région. Ils rentraient tard et à des heures différentes. Céline se souvient que sa mère restait à demi-éveillée dans son lit tant qu'elle n'avait pas entendu le pas, reconnaissable pour elle, de chacun de ses enfants. Elle ne s'endormait que lorsqu'ils étaient tous rentrés et en sécurité dans leur lit.

CI-DESSUS : *Céline, en 1991, pendant un moment de réflexion.*

« Nous n'avons jamais été pauvres, mais nous dormions à trois ou quatre dans le même lit. C'était fantastique », raconte Céline avec simplicité. « Nous avions tout ce que nous voulions : de l'amour, de l'affection, de l'attention, des parents intelligents et de la musique. Je crois que la musique dans une vie est source de bonheur. »

Avec une mère, un père et 13 frères et sœurs musiciens et chanteurs, Céline a sûrement eu son content de musique et de bonheur. Toute sa famille avant elle avait fait du spectacle. « Ils ont tous chanté avant moi, déclare Céline. Tout le monde joue de tous les instruments. Mes parents faisaient des tournées de spectacles avec mes frères et sœurs. Ça aidait à payer les factures à la fin du mois, mais ils le faisaient parce qu'ils aimaient ça. »

Céline n'a que des bons souvenirs de son enfance à la maison : « Il y avait de l'amour, de la musique, l'odeur de la nourriture et de l'affection. » Loin du cocon familial et de l'amour des siens, elle s'étiolait.

Céline aimait particulièrement l'heure des repas quand toute la famille prenait place autour de l'immense table de cuisine. Immanquablement, on commençait à jouer un air connu en frappant avec les ustensiles sur les verres plus ou moins remplis. Chacun buvant à son rythme, les verres donnaient des sons différents. Et lorsqu'une note manquait, il y en avait toujours un qui prenait quelques gorgées jusqu'à ce qu'il ait reproduit la note juste.

Les parents Dion élevaient leurs enfants dans la foi catholique, sans toutefois insister pour qu'ils fréquentent assidûment l'église. Les baptêmes et les mariages qui se succédaient leur fournissaient déjà amplement d'occasions de s'y rendre. L'Église en tant qu'institution n'était toutefois pas très populaire chez les Dion, vraisemblablement à cause d'un prêtre qui avait cherché à s'immiscer dans la vie privée de la famille. Plusieurs mois après son troisième accouchement, Thérèse aurait reçu l'appel du curé de la paroisse lui demandant pourquoi elle tardait à redevenir enceinte. On peut comprendre qu'elle lui ait répondu que son mari et elle décideraient eux-mêmes du moment où ils auraient leur prochain enfant et que, pour ce faire, ils tiendraient compte du bien de toute la famille. Appartenant au courant catholique le moins libéral, le prêtre en question avait brandi le spectre de l'excommunication. Croyant en Dieu et en Son infinie sagesse, les Dion ne s'étaient pas préoccupés outre mesure de ses menaces.

Nommer les frères et sœurs de Céline, c'est comme faire l'appel des élèves d'une classe. Denise, née en 1946, est l'aînée des 14 enfants Dion. Viennent ensuite Clément, Claudette, Liette, Michel, Louise, Jacques, Daniel, Ghislaine, Linda,

Manon, Paul et Pauline. La plus jeune des sœurs de Céline, Pauline, née en 1962, est la présidente de son fan club.

On a essayé, de façon un peu tendancieuse, d'établir un parallèle entre le milieu familial de Céline et celui du personnage central du roman *Bonheur d'occasion*, écrit en 1945 par la romancière franco-manitobaine établie au Québec, Gabrielle Roy. Ce roman, qui a pour cadre le quartier ouvrier de Saint-Henri, à Montréal, raconte la lutte d'une mère en butte à la pauvreté et au désespoir, qui tente d'élever une famille nombreuse pendant la Deuxième Guerre mondiale. Ce drame familial, qui met en scène des personnages dignes et courageux, a pour thème l'abnégation et la force face à l'adversité. L'histoire de cette famille diffère de celle de la famille Dion sur bien des points fondamentaux. Les Dion étaient heureux. Leur lutte n'était pas vaine et, contrairement au personnage du père dans *Bonheur d'occasion*, Adhémar Dion n'était pas un être instable, abonné au chômage chronique.

À l'école, les professeurs avaient remarqué que la benjamine de la famille semblait repliée sur elle-même. Céline ne participait pas spontanément aux activités de groupe et préférait rester seule. Si elle se trouvait mêlée à quelque bataille dans la cour d'école, elle se contentait de ce que les élèves plus rudes lui laissaient, sans demander son reste. Elle était de constitution frêle, pâle et timide.

« De toute façon, je n'étais jamais capable de répondre aux questions posées en classe, se souvient Céline. Aujourd'hui encore, quand je passe devant une école, je la déteste quand je me mets à la place des enfants qui y sont. L'école m'éloignait de ma famille, de mes amis et de ma destinée. Chaque jour, je revenais chez moi en courant aussi vite que possible. Je n'avais qu'une idée : vite me retrouver au sous-sol pour assister aux répétitions. »

Le cercle de ses relations se limitait à son amie d'enfance et voisine Isabelle Duclos et aux membres de sa famille. « Je ne voulais pas jouer avec les autres enfants », dit-elle.

Les services sociaux locaux avaient été alertés par les professeurs de Céline qui s'inquiétaient à son sujet. Quand les travailleurs sociaux sont arrivés chez les Dion, ils ont vu des parents aimants et travailleurs, et une maisonnée d'enfants heureux. La musique fusait de partout. Thérèse leur a servi une tasse de thé accompagnée d'une tranche de bon pain maison qu'elle venait de sortir du four. Ils ont constaté par eux-mêmes à quel point la jeune Céline était bien chez elle avec ses frères et sœurs à faire

CI-CONTRE : *Moment de détente, à l'écart des projecteurs.*

de la musique et à chanter. Ils ont vu la dynamique de la famille à l'œuvre et se sont rendu compte que Céline était, comme bien des benjamins, choyée et comblée d'amour et d'affection par toute la famille. Ils ont vite compris que loin d'avoir un problème avec son environnement familial, elle se sentait triste quand elle en était éloignée. Ses frères et sœurs lui manquaient et elle comptait les minutes qui la séparaient du moment où elle serait de nouveau en leur compagnie, autour de l'immense table familiale ou au sous-sol, à faire de la musique ou à chanter à cœur joie. Ils ont admis très vite que leur visite était inutile et sont partis.

« J'étais le bébé de la famille et j'étais très gâtée, comme maintenant. Les travailleurs sociaux étaient très mal à l'aise. Ils ont dit qu'ils avaient fait une erreur », dit Céline. Elle se rend bien compte que « ... c'était une enfance fantastique ».

Le sous-sol était son terrain de jeu. C'était la salle de répétition de la famille, une pièce remplie de matériel et d'instruments. Céline n'a jamais été vraiment attirée par les poupées et les jouets. Elle n'était pas non plus intéressée à jouer et à traîner dans les rues avec les autres enfants. Le sous-sol stimulait son imagination ; les divers instruments étaient ses jouets. Dès qu'elle a compris ce que la musique pouvait faire pour elle et ce qu'elle avait fait pour sa famille — en termes de cohésion, d'expression, d'émotion, de sentiments et d'argent — elle n'a plus voulu qu'une chose : chanter, c'est-à-dire s'exprimer, émouvoir, se faire plaisir et faire plaisir aux autres du même coup.

Rita MacNeil, une autre chanteuse canadienne extrêmement populaire, a déclaré avec justesse : « La musique est une composante essentielle du Canada. Chaque foyer compte un musicien. Notre patrimoine est tissé de traditions héritées des Écossais, des Français et des Amérindiens, ce qui fait la spécificité de ce pays. Le Canada possède une identité très marquée, mais c'est difficile d'être aussi près des États-Unis. »

Rita MacNeil fait partie de cette longue lignée de chanteurs et de compositeurs canadiens célèbres des années 60, des gens comme Gordon Lightfoot, Leonard Cohen, Neil Young, Joni Mitchell, et plus récemment k.d. Lang et Alanis Morissette. La musique a toujours fait partie intégrante de la culture et du patrimoine national canadien. Bob Dylan a déjà dit que Gordon Lightfoot avait très bien résumé l'histoire du Canada et de ses habitants dans sa chanson *Canadian Railroad Trilogy*, un classique. De tous les artistes canadiens s'étant illustrés sur la scène internationale, Lightfoot est celui qui est resté le plus près de ses racines canadiennes. Il a réinventé la musique folk traditionnelle et a composé des chansons d'une grande beauté et d'une grande sincérité. Tous ces grands artistes canadiens ont préparé l'avenir de Céline Dion. Ils sont les terrassiers qui lui ont pavé la voie, les cheminots de ce train de rêves qui l'emporte.

La jeune Céline Dion ne rêvait que d'une chose : chanter et où cela la mènerait quand elle poursuivrait une carrière professionnelle. Une fois bien convaincue que cette ambition dévorante était profonde et réelle, Thérèse a tout fait pour aider sa fille à réaliser son rêve. Elle savait que, quand Céline disait vouloir être chanteuse, c'était vrai. Après tout, elle connaissait cette vie pour l'avoir vécue avec sa famille.

« J'ai dormi sur le parquet de toutes les salles de danse du Québec », raconte Céline. Elle se souvient qu'elle accompagnait sa famille à tous les spectacles qu'elle donnait. « Je dormais enveloppée dans le manteau de ma mère. »

Céline se souvient qu'un jour elle avait déclaré à sa mère vouloir suivre sa voie et devenir chanteuse. Celle-ci lui avait répondu avec son pragmatisme habituel : « Tu veux être chanteuse ? Dans ce cas, je veux que tu le fasses en professionnelle, avec tes propres chansons. »

Thérèse avait vu nombre de jeunes artistes essayer de se tailler une place dans le monde du spectacle et elle avait constaté qu'il ne suffit pas d'être talentueux pour réussir. Il faut du soutien, un bon agent, un contrat d'enregistrement et des chansons qui accrochent. Elle a donc écrit les paroles d'une chanson et a suggéré à Céline et à un de ses frères d'en composer la musique.

« Ma mère est la personne que je respecte le plus », a toujours dit Céline. « Elle est mon idole. »

Thérèse Dion ne voulait pas que la plus jeune de ses filles fasse le circuit habituel des bars et des clubs de nuit enfumés. Pour devenir une chanteuse professionnelle, elle devait débuter en professionnelle. Pour ce faire, il fallait faire entendre la voix phénoménale de Céline à un agent ou à un producteur qui la conseillerait sur le plan professionnel dès le début. Il fallait donc enregistrer une maquette de la chanson qu'ils avaient écrite ensemble.

En janvier 1981, Thérèse et son fils Jacques ont écrit une nouvelle chanson spécialement pour Céline et en ont fait les arrangements en prévision de l'enregistrement de sa première maquette. Ils lui ont donné un titre approprié à l'époque, *Ce n'était qu'un rêve*, et l'ont enregistrée dans le sous-sol de la maison familiale transformé en studio de fortune.

Thérèse a emballé la cassette à laquelle elle a joint la note suivante : « C'est une jeune fille de 12 ans qui possède une voix fantastique. Écoutez-la, nous voulons en faire une grande vedette comme Ginette Reno. » Pour que le paquet attire davantage l'attention, elle l'a entouré d'un élastique rouge. L'enregistrement a ensuite été envoyé à René Angélil.

La mère de Céline avait choisi Angélil après avoir vu son nom comme producteur sur la pochette d'un album de Ginette Reno. Et comme cette dernière était l'idole de Céline et qu'elle était l'une des chanteuses préférées de toute la famille, il allait de soi de donner la préférence à René Angélil. Il était bien connu à Montréal et très respecté comme agent de Ginette Reno. Il était également associé à Guy Cloutier, agent de la carrière de René Simard, et il avait déjà fait de la scène.

Céline et sa famille attendaient une réponse, mais la cassette était toujours sur le bureau d'Angélil, encore dans son emballage. On raconte qu'à cette époque, Angélil était occupé à régler une querelle au sujet du départ de Ginette Reno qui lui avait préféré son fiancé, un chef cuisinier, comme agent. Après avoir guidé la chanteuse pendant des années et avoir géré sa carrière avec succès, il était, dit-on, bouleversé et déprimé par cette rupture. Deux semaines après l'envoi de la cassette, Michel Dion a appelé Angélil et il a insisté pour qu'il écoute la cassette. Il a ajouté qu'il était certain qu'il ne l'avait pas encore écoutée car s'il l'avait fait, il aurait déjà donné de ses nouvelles. Cinq minutes plus tard, le téléphone sonnait chez les Dion et Angélil, qui avait flairé un immense talent, demandait à rencontrer la jeune chanteuse immédiatement.

Angélil se souvient de sa première rencontre avec Céline Dion. « On ne pouvait pas dire qu'elle était jolie, mais elle avait des yeux marron incroyables. Je lui ai demandé de s'imaginer qu'elle était devant une salle de 2 000 personnes. Je lui ai tendu un crayon en lui disant de s'en servir comme micro. Elle a fermé les yeux et c'est parti ! Sa voix si pleine de sentiment, plus vieille que son âge, me donnait la chair de poule. À la fin de la chanson, je pleurais. »

Angélil a pris sa décision sur-le-champ. Il a insisté pour avoir le plein contrôle sur la carrière de Céline. Thérèse avait pleine confiance en lui et Céline, en l'intuition de sa mère. Ils ont donc signé un contrat.

CI-CONTRE : *Les admirables yeux marron qui ont charmé René Angélil lors de sa première rencontre avec la jeune chanteuse.*

A 38 ans, René Angélil a abandonné ses études de droit pour se consacrer à la carrière de sa jeune protégée de 12 ans. Il a abandonné également tous ses autres clients tellement il avait foi en Céline. Il savait qu'elle avait tout ce qu'il fallait pour réussir. Comme il le dit : « Si tu n'as pas de discipline et si tu n'es pas un gros travailleur, oublie ça. »

Il a vite saisi l'énorme potentiel de Céline. Il a aussi constaté qu'elle avait toujours eu l'appui inconditionnel de sa famille. Il a décidé de se consacrer entièrement à faire éclore ce talent rarissime. « Un agent entend une voix comme celle-là une fois tous les dix ans, dit-il avec enthousiasme. S'il est intelligent, il s'ingénie à faire connaître son artiste au monde entier. »

Il a très vite constaté que les directeurs de maisons de disques ne partageaient pas sa conviction et son engouement. Ils n'étaient pas emballés outre mesure à l'idée de produire l'album d'une enfant de 12 ans. Aucunement découragé, Angélil a pris une hypothèque sur sa maison pour financer le projet et a produit non seulement un mais deux disques de Céline. Il a eu pour ce faire l'encouragement de collègues, dont Denys

Je vis dans mes chansons.

Bergeron, qui dirigeait la maison de distribution Trans-Canada, et le compositeur-parolier français Eddy Marnay. En novembre 1981, juste à temps pour Noël, Céline enregistrait deux albums sur l'étiquette québécoise d'Angélil, Super Étoiles.

Même s'il était interprété par une enfant, l'album *La voix du bon Dieu* n'était pas destiné à un jeune public. Ses ballades sentimentales, chargées d'émotion, visaient le marché des adultes. De son côté, *Céline Dion chante Noël*, un recueil de chants de Noël traditionnels et folkloriques, était destiné aux familles. Angélil avait eu raison de croire que le talent de sa protégée plairait à un vaste public. Son pari s'est avéré payant car les ventes des deux albums pour la période de Noël seulement ont dépassé 30 000 exemplaires. Sa maison était sauvée.

Au début de 1982, Céline a signé un contrat d'enregistrement sur l'étiquette Saisons, fondée par Angélil. Comme l'accueil réservé aux deux premiers albums avait

CI-CONTRE : *Petite fête intime en compagnie de son mari et agent, René Angélil.*

prouvé que son talent et son public dépassaient les frontières du Québec, ce nouveau contrat couvrait tout le Canada. Il a de plus mené à la signature, par l'intermédiaire du producteur français Claude Pascal, d'un contrat avec Pathé-Marconi, qui lui donnait accès à d'excellents studios parisiens et à l'immense marché francophone européen. La réputation de Céline gagnait du terrain et cette même année, elle remportait la médaille d'or au Yamaha World Popular Song Festival (Festival mondial de la chanson populaire Yamaha) de Tokyo. Au cours des quatre années suivantes, elle a enregistré sept albums au Québec et deux en France.

C'est aussi à cette époque que Céline a commencé à présenter régulièrement des spectacles professionnels au Québec. Durant l'été 1983, elle a donné cinq concerts qui, produits avec peu de moyens, restaient plutôt sobres. Moins de trois ans plus tard cependant, elle chantait dans les plus grandes salles de la province. En mai 1985, elle présentait son spectacle à la Place des Arts de Montréal, spectacle enregistré et immortalisé sur l'album *Céline Dion en concert*.

Bien que d'un style très différent de ce qu'elle a fait par la suite, ces enregistrements forment un intéressant tableau qui permet de suivre son évolution. Déjà en 1982, on sentait sur l'album *Tellement j'ai d'amour* qu'elle avait gagné beaucoup d'assurance depuis l'enregistrement des deux premiers.

L'année suivante, elle enregistrait deux autres albums. *Chants et contes de Noël* visait le public qui avait acheté *Céline Dion chante Noël* l'année précédente. Le deuxième, intitulé *Les chemins de ma maison*, était un recueil de chansons plus matures, d'une subtilité qui mettait en valeur de nouvelles facettes de son talent.

Le quatrième single *D'amour ou d'amitié* a été un succès surprise : 300 000 exemplaires vendus au Canada seulement et 400 000 en Europe. Les ventes de cet extrait ont atteint le total des ventes combinées des trois premiers, total qui était déjà un chiffre impressionnant. Grâce à *D'amour ou d'amitié*, Céline a été la première chanteuse canadienne à recevoir un disque d'or en France.

Céline a quitté l'école à 15 ans, avec l'accord de sa mère, avant d'avoir appris l'anglais. Elle n'a aucun regret de ne pas avoir terminé ses études secondaires : « Je n'étais pas très à l'aise à l'école. Je détestais cela. Je n'étais pas capable d'apprendre. Je rêvassais. Je ne pouvais pas me concentrer parce que je savais que les choses que j'apprenais ne me serviraient jamais. Je crois que l'école n'est pas faite pour tout le monde et je n'aimais pas ça. Je vais à l'école de la vie et j'apprends beaucoup plus. »

Deux spectacles mémorables ont marqué l'année 1984. À 16 ans, Céline chante au Stade olympique devant 65 000 personnes lors de la visite du pape Jean-Paul II. Peu de temps après, elle présente, au célèbre Olympia de Paris, un spectacle qui a été un succès honnête. À cette époque, elle chantait uniquement en français, faisant parfois une exception pour *What a Feeling*, chanson tirée du film *Flashdance* et popularisée par Irene Cara. Céline se souvient que cette pièce était toujours bien reçue, que le public tapait des mains et dansait, mais qu'elle ne comprenait pas un traître mot de ce qu'elle disait.

En 1984, Céline a entrepris, à Paris, les seuls cours de chant en bonne et due forme qu'elle ait jamais suivis. Son professeur était la réputée Tosca Marmor. À 17 ans, elle considérait avoir dépassé son personnage de star-enfant. Elle voulait être plus que la « p'tite Québécoise ». À ce tournant de leur carrière, bien des stars qui ont atteint le succès très jeunes — les Debbie Gibson et les Tiffany de la chanson pop — disparaissent de la scène et refont surface pour poursuivre une carrière parallèle sur scène ou à l'écran des années plus tard seulement.

Céline Dion, avec sa voix de soprano qui s'étend sur cinq octaves, avait déjà eu une carrière enviable. Elle était célèbre et assez riche pour avoir acheté à ses parents, en

1986, une maison au bord d'un lac, à proximité de Montréal. Située à Sainte-Anne-des-Lacs, dans les Laurentides, cette maison était entièrement décorée en blanc. Entre ses tournées, elle y passait du temps en compagnie de sa mère, de son père, de parents en visite et de sa chatte Isis. Elle en profitait également pour laisser de côté son look designer bien léché et se relaxer en jeans, les cheveux attachés, et aller se promener dans la campagne en Jeep Cherokee.

Sur les conseils de René Angélil, Céline a suspendu sa carrière pour une période de 18 mois, ce qui lui a permis de faire un retour sur elle-même et de réfléchir à son avenir. Elle a aussi fait réparer sa dentition inégale, changé de coiffure et renouvelé sa garde-robe de fond en comble.

En 1987, la sortie d'*Incognito*, un album de huit chansons qui inaugurait sa collaboration avec la compagnie Sony, a marqué un nouveau départ. Il était évident que sa carrière venait brusquement de franchir une autre étape. Céline s'était donné un nouveau look plus chic, plus sexy, et la musique de ses chansons reflétait une démarche plus mature, plus adulte. Jusque-là, son répertoire était fait de ballades aux arrangements conventionnels, parfois même banals. Maintenant, elle se lançait tête première dans un style pop plus léché, plus rythmé, au son plus vibrant, aux paroles plus puissantes, soutenues par des refrains enlevants sur fond de saxophone. Dans le bref communiqué de presse annonçant le nouveau style Dion, Sony disait : « Quand jeunesse, beauté et talent sont réunis, les résultats ne peuvent être qu'explosifs. »

Céline et Angélil ont dû avoir certaines appréhensions quant à la réaction du public face à cette nouvelle image, craindre que la popularité de Céline en soit affectée. En fait, ils jouaient le tout pour le tout. Cette métamorphose radicale de la « p'tite Québécoise » toute simple en qui son public se reconnaissait, en une jeune femme moderne et sûre d'elle risquait de lui aliéner de nombreux fans.

Il y a eu, bien sûr, des mauvaises critiques. Certains ont vu son changement d'image comme une sorte de trahison ; ils ont dit qu'elle reniait ses origines, mais à la grande joie de Céline, sa carrière a repris exactement là où elle l'avait interrompue. Grâce à une tournée de promotion à l'horaire très chargé à Montréal et dans les environs, les billets pour sa série de 42 spectacles se sont vendus comme des petits pains chauds.

Incognito, son neuvième album de chansons originales, a été très bien reçu au Québec, et il s'en est vendu 200 000 exemplaires au Canada.

Céline continuait à vendre beaucoup de disques au Québec, mais sa nouvelle image n'avait pas eu de retombées significatives à l'extérieur du territoire déjà conquis. En France, les fans continuaient de s'intéresser à cette étoile montante, mais le grand

public la boudait toujours. Quant au marché anglophone, il demeurait impénétrable. L'appétit de ses fans européens était facilement satisfait par la mise en marché d'extraits en petites quantités. L'étiquette européenne sous laquelle elle enregistrait, Carrère (une filiale de Sony), se contentait de cette façon de tester le marché. Même avec neuf albums à son crédit, Céline était peu connue à l'extérieur du Québec ou de la France. Les choses ont pris une tout autre tournure quand la Suissesse Nella Martinetti et son ami Attila Sereftug, tous deux compositeurs, lui ont demandé de représenter la Suisse au concours de l'Eurovision 1988 avec une de leurs chansons, *Ne partez pas sans moi.*

Même sans trop savoir ce qu'était l'Eurovision, Céline a sauté sur l'occasion de joindre un plus vaste auditoire européen et elle est immédiatement partie pour Dublin, en Irlande, pour présenter la chanson devant quelque 600 millions de téléspectateurs.

« C'était un honneur de représenter la Suisse » dit-elle de cet événement. « Nous nous sommes bien amusés. Nous avons rencontré des tas de gens. C'était comme de parcourir l'Europe sans trop voyager. »

René Angélil a parié sur le résultat du concours : « J'ai misé tout ce que j'avais sur moi que Céline gagnerait. J'ai encore la piqûre du jeu ! »

La Suisse a remporté l'Eurovision 1988. Céline triomphait et, du coup, l'Europe savait qui elle était. Comme c'est le cas pour presque toutes les chansons gagnantes de l'Eurovision, le 45 tours s'est bien vendu dans la plupart des pays européens et a éveillé l'intérêt général pour cette jeune chanteuse dotée d'une voix exceptionnelle. Les gagnants de l'Eurovision sont souvent des artistes de second plan ou des nouveaux venus. La presse était donc agréablement surprise de découvrir que Céline Dion avait déjà enregistré neuf albums. Carrère a profité de ce coup d'éclat et s'est empressée d'inonder le marché des disques de Céline pour tirer parti de ce nouvel engouement. C'était l'aube d'une nouvelle ère Dion, tant au plan personnel que professionnel.

C'est à Dublin que Céline et René ont échangé leur premier baiser, qu'ils ont réalisé que les sentiments qu'ils avaient toujours éprouvés l'un pour l'autre avaient dépassé le stade de la relation platonique pour se transformer en amour. Leur relation artiste-agent avait toujours reposé sur la confiance absolue et le respect mutuel. C'était une base très solide pour une association sur le plan professionnel mais aussi une parfaite assise pour des sentiments plus profonds.

CI-CONTRE : *Remporter l'Eurovision en 1988 l'a fait connaître en Europe.*

Céline n'avait fréquenté sérieusement qu'un seul garçon, et seulement pendant quelques semaines. Elle trouvait que sa carrière l'accaparait trop pour lui permettre d'entretenir une relation amoureuse. Elle ne voyait pas comment elle pourrait consacrer la moitié d'elle-même à un amoureux et l'autre, à la chanson.

La chanson était ce qui la définissait ; elle exigeait cent pour cent de son attention. Lorsque les journalistes en entrevue spéculaient sur sa vie sentimentale, elle plaisantait en disant que ça n'avait tout simplement pas marché et qu'elle devrait se trouver un amoureux qui soit également dans le show-business.

Gagner l'Eurovision avait fait mousser les ventes de disques de Céline dans les pays francophones, mais n'avait eu aucun impact significatif en Angleterre et pratiquement aucun sur le lucratif marché américain. Céline a compris que si elle demeurait une artiste francophone — si elle continuait à ne chanter qu'en français — elle resterait marginale. Elle se souvient que c'était pour elle un supplice de donner des entrevues aux journalistes anglophones après l'Eurovision : « J'étais là assise sur le bout de ma chaise car je ne comprenais que trois mots sur cinq. »

Bien des journalistes ne consentaient à interviewer Céline que si la compagnie de disques leur promettait une interview avec une autre vedette. Céline savait pertinemment qu'elle devait apprendre l'anglais pour conquérir de nouveaux publics. Quand il a fallu qu'elle apprenne l'anglais pour réaliser son rêve, elle a prouvé qu'elle était assez brillante pour le maîtriser avec une facilité indiscutable. Deux ans après l'Eurovision, dès que son horaire le lui a permis, elle est retournée à l'école pour suivre un cours d'anglais chez Berlitz.

Il s'agissait d'un cours intensif de deux mois, cinq jours par semaine, de neuf heures à dix-sept heures. Au début, Céline était un peu perdue parce que les cours se donnaient presque exclusivement en anglais. À la fin cependant, elle était assez compétente pour pouvoir orienter sa carrière dans une nouvelle direction, le marché anglophone. Elle savait aussi qu'une grande part de son public était francophone et qu'un grand nombre de ses fans étaient, comme elle, Québécois. Elle ne l'oublierait pas. L'anglais était pour elle une autre voie dans laquelle engager sa carrière, non la seule. Elle a également été assez perspicace pour se rendre compte que ces deux langues, par leur musicalité propre et l'atmosphère qu'elles créaient, permettaient de traiter d'émotions et de thèmes différents. L'une n'était pas meilleure que l'autre.

Il y a eu des contrecoups bien sûr, comme il y en a toujours lorsqu'un artiste atteint une certaine notoriété. Au gala de l'Adisq de 1990 par exemple, Céline a reçu le félix de l'artiste anglophone de l'année. Il y a 46 catégories pour les performances fran-

cophones et une seule pour les performances anglophones. En la plaçant dans la caté-gorie « artiste anglophone », le comité de sélection l'avait de fait exclue de toutes les autres catégories, même si elle enregistrait encore en français. Céline est montée sur la scène non pour accepter le prix, mais pour le refuser et déclarer d'une manière succincte qu'elle était fière d'être Québécoise et qu'elle n'était pas une artiste anglophone.

CI-DESSUS : *Céline célèbre en grand sa victoire à l'Eurovision 1988.*

En juin 1991, forte de ses 10 ans de carrière, Céline Dion chantait devant Lady Di et le prince Charles lors d'un concert spécial donné à Ottawa. L'année précédente, elle avait lancé son premier album en anglais, *Unison*, enregistré dans des studios de Los Angeles, New York et Londres. Les chansons de cet album sont signées David Foster, Stan Meissner et Aldo Nova. David Foster et Tom Keane étaient les producteurs des séances d'enregistrement à Los Angeles, Andy Goldmark de celles de New York et Christopher Neil de celles de Londres. Comme pour tous les albums de Céline Dion, les bandes enregistrées à chacun des studios étaient prêtes quand elle a ajouté sa voix à la musique.

Ce projet, elle le savait, offrait beaucoup de potentiel mais représentait aussi un risque énorme. Le succès potentiel est proportionnel à l'échec, possible aussi. Elle se souvient qu'elle faisait sans cesse des cauchemars révélateurs de son insécurité. Dans un de ces rêves, qu'elle dit avoir fait six fois, elle se voit sur une étroite corniche au sommet d'un gratte-ciel, regardant en bas une nuée d'ambulances et d'autos de police. Au moment où un policier s'approche d'elle, soit qu'elle saute ou tombe dans le vide

L'amour n'a pas d'âge.

pour se réveiller juste avant de s'écraser sur le trottoir. « Je dois faire comme si j'étais forte, confesse-t-elle, mais, en fait, j'ai tellement peur de faire des erreurs. »

Ses craintes ont grimpé d'un cran quand, en pleine tournée promotionnelle pour son album, sa voix s'est cassée. C'était à Sherbrooke, à un concert spécial donné dans le cadre d'un congrès de distributeurs de disques. Céline aurait été bouleversée qu'une telle chose se produise devant un public de fans conquis d'avance, mais devant une salle pleine de représentants de l'industrie, l'expérience a dû être particulièrement dévastatrice.

Après cet épisode, elle a consulté le célèbre laryngologue new-yorkais Wilbur Gould qui lui a conseillé de laisser reposer son larynx et ses cordes vocales pendant trois semaines. Elle est donc partie en vacances sur une plage au climat chaud et humide. Et elle n'a pas dit un mot. Pour communiquer, elle mimait ou écrivait sur un carnet.

CI-CONTRE : *Céline se donnant à fond lors d'une séance d'enregistrement.*

Depuis ce temps, Céline a toujours suivi les conseils des spécialistes et pris toutes les précautions nécessaires pour que sa voix soit en parfaite condition au moment de ses concerts et de ses séances en studio. Elle n'avait jamais fumé et elle buvait rarement de l'alcool. S'en priver n'a donc pas été difficile. Elle voyage toujours avec deux humidificateurs, un pour la chambre d'hôtel et l'autre pour la loge ou le studio. Le jour d'un spectacle, elle ne parle qu'en cas d'absolue nécessité et observe un silence total à partir de la fin de l'après-midi. Parfois, avant une séance d'enregistrement, elle ne parle pas pendant des jours. Elle fait au moins 35 minutes de vocalises par jour.

Après un spectacle, Céline prend un léger repas car elle mange très peu ou pas du tout avant. Ensuite, elle se couche et dort parfois jusqu'à 14 heures d'affilée. Elle se lève vers 15 heures et prend un brunch. Vers 17 heures, elle fait ses exercices de vocalises pendant environ une heure, puis se laisse envelopper d'un dense nuage de vapeur dans la douche. Elle évite de parler jusqu'à ce qu'elle arrive sur les lieux du spectacle pour les

tests de son. Elle boit du thé ou de l'eau tiède avec du miel et du citron, et elle prend un élixir à base de produits naturels pour sa gorge.

Les péripéties qui ont entouré l'enregistrement de *Unison* ont valu la peine. Lancé à travers le Canada et les États-Unis en avril 1990, l'album a eu le retentissement escompté.

Céline a donné à sa carrière une toute nouvelle direction. Outre le fait qu'il s'agissait de son premier album en anglais, la musique était très différente de celle de ses disques précédents. On ne la sentait pas craintive et les textes des chansons exprimaient l'audace et la confiance. L'album a eu un succès instantané au Canada et s'est retrouvé pendant un certain temps dans les dix premières places des palmarès nationaux. Il n'a pas été aussi chaleureusement reçu aux États-Unis et il a fallu plusieurs singles avant que la magnifique ballade *Where Does My Heart Beat Now* atteigne les palmarès. Elle y est restée 24 semaines et elle s'est rendue en quatrième position.

CI-DESSUS : *La renommée internationale est à la portée de Céline, qui laisse ici ressortir son côté espiègle.*

Le reste de l'année et une partie de 1992 ont été consacrés à une vaste campagne de promotion et à des tournées pour consolider le succès obtenu sur le marché anglophone, succès qui jusqu'alors s'était dérobé. Revenir au français pour l'album suivant a été un geste courageux.

Céline a décidé d'enregistrer un album fait exclusivement des chansons du parolier Luc Plamondon, qu'on connaît pour ses chansons à succès et son opéra-rock *Starmania*, entre autres. L'album *Dion chante Plamondon* a confirmé sa loyauté envers ses fidèles fans québécois et lui a valu un disque d'or au Québec. En France, où le disque s'intitulait *Des mots qui sonnent*, il a remporté un disque platine. Certains titres de l'album abordaient des sujets difficiles. La chanson *L'amour existe encore* traite de l'amour dans une société marquée par le sida, et *Ziggy* raconte l'histoire d'une jeune fille amoureuse d'un homosexuel. Céline a aussi enregistré *Ziggy* en anglais pour l'album *Tycoon*, version anglaise de *Starmania*.

En 1991, Céline Dion faisait également ses débuts comme comédienne dans une minisérie télévisée intitulée *Des fleurs sur la neige*. Elle incarnait, dans ce drame très dur, une jeune fille de 16 ans battue et maltraitée par ses parents. La série était basée sur l'histoire vraie d'une jeune fille qui intentait un procès à ses parents. Le rôle aurait été difficile pour une actrice chevronnée, mais pour une débutante, c'était un défi colossal. Céline a admis que « c'était un rôle difficile », même s'il lui a donné le goût de jouer davantage dans l'avenir. Elle a ajouté qu'elle était « très contente du résultat ».

Simplement intitulé *Celine Dion*, l'album en anglais qui a suivi *Unison* en 1992 a obtenu autant de succès que le précédent. Céline a reçu son premier disque d'or aux États-Unis pour cet album dont un demi-million d'exemplaires se sont vendus dans les six mois qui ont suivi le lancement. Deux singles de ce disque ont également fait bonne figure sur les principaux palmarès américains. La chanson *If You Asked Me To* s'est maintenue en première place pendant trois semaines et *Love Can Move Mountains*, avec un son hybride enlevant qui combinait des éléments de blues et de gospel, a fait une brèche sur les palmarès de musique noire.

Par sa carrière, Céline Dion faisait écho aux propos exprimés dans la chanson écrite en 1971 par Gordon Lightfoot, *Nous vivons ensemble*, qu'il chante en partie en anglais et en partie en français. Il y aborde la question de l'identité culturelle du Québec au sein du Canada. Il exhorte tous les Canadiens « à vivre ensemble » et à « apprendre la chanson de l'autre », suggérant que la musique et la fierté du patrimoine canadien peuvent unifier le peuple et lui permettre de se définir. Selon lui, la

musique, si elle est sincère, peut aider les gens à dépasser leurs différences ou, du moins, à les comprendre.

La question de l'indépendance du Québec suscite de grands débats chez nous. En commençant à enregistrer en anglais, Céline Dion a prêté flanc aux attaques des indépendantistes purs et durs, tenants de la séparation du Québec. Certains ont vu dans son choix de chanter en anglais une forme de trahison. Le simple fait d'avoir omis l'accent aigu de son prénom sur la pochette du disque a provoqué des remous.

Si Céline Dion a une opinion sur le sujet, elle la garde pour elle, à la fois pour des raisons commerciales et morales. « Je crois que chacun a son opinion et je respecte l'opinion de chacun, a-t-elle déclaré, mais je crois que la politique n'a pas de *feelings* et qu'elle détruit une partie de l'âme. »

Selon elle, ses fans comprennent pourquoi elle chante en anglais : « Ils savent que j'agis avec sincérité parce que c'est ça que je veux. J'aime ça. J'aime vraiment chanter en anglais et en français. Je pense qu'il y aura toujours un petit extra dans ma façon de chanter en français parce que je suis francophone d'abord et avant tout, c'est dans mon

CI-DESSUS : *Céline ne dévoile pas ses opinions, mais elle est toujours sincère.*

CI-CONTRE : *Une jeune femme séduisante et sexy, qui a laissé loin derrière elle son image de star-enfant.*

sang. Mais l'anglais est la langue de la musique ; ça va de soi et c'est naturel. Le français est si romantique, je ne peux pas choisir. »

Toute star n'en a pas moins sa cohorte de détracteurs malveillants. Céline Dion a dû supporter qu'on lui fasse porter le poids de certaines positions politiques plutôt illogiques. Parce qu'elle est issue d'un milieu ouvrier, d'une famille nombreuse qui s'inscrit dans la tradition rurale et catholique, on en a fait le symbole d'un Québec dépassé avec lequel bon nombre de gens aimeraient mieux ne pas être associés.

Une certaine partie de la presse québécoise ne ratait jamais une occasion de discréditer son succès croissant, quitte à colporter des rumeurs. Les insinuations concernant sa relation avec son agent allaient bon train ; on chuchotait aussi qu'elle était anorexique. Ces accusations ont été, à l'époque, vigoureusement démenties. Certaines ont même donné lieu à des poursuites judiciaires.

S'acharner de la sorte sur une cible facile, dont l'unique tort était d'être un personnage public de plus en plus en vue, relevait en grande partie de la mauvaise foi. Poussée par les questions de l'animatrice Lise Payette, Céline a un jour fondu en larmes au moment où elle expliquait qu'elle devait garder ses amours secrètes pour ne pas heurter le public québécois. Perçue comme outrancière, cette mémorable entrevue télévisée a

CI-DESSUS : *En 1993, l'année de sa première tournée américaine de grande envergure.*

été un point tournant dans sa carrière et a marqué le début d'une ascension fulgurante. Après cet épisode, quiconque aurait osé la critiquer aurait couru le risque de se tirer dans le pied ; cela ne se faisait tout simplement pas ! Céline avait gagné le respect de son pays tout entier et était devenue une véritable ambassadrice du Québec et du Canada. Les médias québécois ne l'appelaient plus que « notre Céline nationale ».

Pour bien des gens, Céline Dion a fini par symboliser le difficile équilibre entre le Québec ancien, avec ses traditions et son conservatisme, et le Québec moderne, désireux de s'ouvrir au monde et de profiter des avantages du multiculturalisme.

L'événement qui a permis à Céline de faire une véritable percée sur la scène internationale a été l'invitation qu'elle a reçue de Disney d'interpréter, en duo avec Peabo Bryson, la chanson thème du film *Beauty and the Beast*. Cette invitation à enregistrer une chanson appelée à connaître un aussi vaste rayonnement a surpris Céline. Elle n'était pas des plus familières avec cette méga-industrie typiquement américaine qu'est Disney. « J'ai grandi, explique-t-elle, dans une famille nombreuse et non avec la télé et les dessins animés. » Sa chanson *Where Does My Heart Beat Now*, qui jouait beaucoup à la radio américaine, avait attiré sur elle l'attention des dirigeants de Disney.

D'abord invitée à une projection de ce long métrage d'animation adapté du célèbre conte *La Belle et la Bête*, elle a été envoûtée par la magie du film : « C'était magnifique ! » Elle a donc été ravie d'en interpréter la chanson thème avec Peabo Bryson.

Christopher Neil, qui devait produire la chanson pour Disney, s'est envolé pour Los Angeles afin de la présenter à Céline. Après l'avoir entendue, elle s'est tout de suite exclamée : « Je veux cette chanson ! »

Les voix de cette pièce qui devait remporter un Grammy Award et un Academy Award ont été enregistrées à New York au studio The Power Station, et les musiques à Los Angeles au studio The Record Plant ; le producteur était Walter Afanasieff. « Je pense pouvoir dire sans me tromper que j'ai contribué à un classique », devait déclarer Céline. « J'ai eu beaucoup de chance ; cette chanson a marqué le début de ma carrière et elle me suivra toute ma vie. »

Céline a célébré son 24ᵉ anniversaire de naissance en interprétant *Beauty and the Beast* en direct avec Peabo Bryson lors du gala des oscars, devant un auditoire estimé à plus de deux milliards de téléspectateurs à travers le monde.

L'année suivante, soit en 1993, la célébrité de Céline Dion et les ventes de ses disques montaient de quelques crans encore. Au programme : sa première tournée américaine de grande envergure, perspective qui l'enthousiasmait au plus haut point. Céline a consacré toutes ses énergies à la préparation de cette tournée, sachant que

celle-ci pouvait consolider le succès nouvellement acquis. Elle voulait profiter au maximum de ses moindres retombées. Souvent critiquée pour son trop grand empressement à remettre entre les mains des autres les commandes de sa carrière et de son image, Céline s'est lancée dans la planification et la conception de cette tournée. Elle a mis la main à presque tous les aspects de l'entreprise, de l'éclairage à la sonorisation. Elle se rappelle les moments d'insomnie où elle repassait tout à l'avance en imagination : « Je ne pouvais pas dormir, alors je prenais des notes ! J'ai tout construit depuis le début. »

C'est sur la scène que Céline est le plus heureuse. « La scène, c'est magique, dit-elle. Je sens la présence de tous les artistes qui m'ont précédée. C'est très difficile à expliquer, mais quand on est né pour être chanteur et qu'on est sur scène, on ressent quelque chose de très spécial. »

En 1993, alors que la carrière de Céline atteignait de nouveaux sommets, un drame allait frapper la famille Dion et affliger profondément Céline : la mort de sa nièce, Karine Ménard, fille de sa sœur Liette. Née en 1977, Karine était atteinte de fibrose kystique, une maladie congénitale dégénérative qui s'attaque particulièrement aux

CI-DESSUS : *Céline accepte avec joie un Grammy Award en 1993.*

CI-CONTRE : *Céline, radieuse, le jour de son mariage avec René Angélil, en 1994.*

fonctions respiratoires et digestives. Céline visitait régulièrement sa nièce et l'emmenait souvent en promenade. Elle prenait plaisir à ses nombreuses sorties avec Karine, sorties où il fallait emporter tous les accessoires médicaux nécessaires, y compris les bouteilles d'oxygène. Céline était aussi devenue la marraine de la Fondation canadienne de la fibrose kystique.

La dernière fois que Céline est allée la voir, Karine était plus souffrante que jamais. Grand-maman Dion massait les pieds de sa petite-fille pour stimuler une circulation déficiente. Céline lui a fredonné une chanson et l'a tenue dans ses bras jusqu'à ce que ses yeux se ferment pour toujours.

L'année 1993 a aussi été une année de grand bonheur personnel. Un soir que Céline et René mangeaient en tête à tête, celui-ci a été submergé par l'émotion. Inquiète, Céline lui a demandé ce qu'il avait. Les larmes aux yeux, il l'a rassurée en lui disant que tout allait bien, puis il a sorti une petite boîte dont la forme ne laissait aucun doute ; il s'agissait d'un de ces petits écrins renfermant une bague de prix. Mais plutôt que de lui remettre la bague, il l'a seulement regardée pendant un certain temps en

CI-DESSUS : *Un moment de grand bonheur personnel : Céline et René s'unissent par les liens du mariage.*

pleurant. Quand Céline a raconté ces événements devant toute l'Amérique à l'émission *Rosie O'Donnell Show*, l'animatrice a suggéré à la blague que c'était peut-être le prix du bijou qui l'avait fait pleurer ainsi. Mais Céline avait été conquise et elle n'a pas hésité à accepter ce magnifique gage d'amour.

Céline avait sans doute pu mesurer à quel point son agent et guide était important pour elle à Los Angeles, l'année précédente. En effet, le 29 avril 1992, Angélil avait subi une attaque cardiaque, probablement imputable à une surcharge de travail. Les rôles avaient alors été inversés ; Céline avait pris les choses en main et l'avait conduit à l'hôpital en taxi. Il s'était rétabli relativement vite, mais la peur avait fait son effet sur Céline. « René est le moteur de ma vie », confiait-elle plus tard aux journalistes ; « sans lui, je me sens comme une voiture sans moteur ; il y a des choses que je n'arrive tout simplement pas à comprendre. »

L'année 1993 a connu son point culminant en novembre, avec la sortie de l'album *The Colour of My Love*. Le cahier intérieur de l'album contenait une dédicace où Céline déclarait son amour à son agent et producteur, René.

Cet album réunissait des ballades sentimentales et des pièces *dance*. On y trouvait la chanson *When I Fall In Love*, que Céline interprétait en duo avec Clive Griffin et qui faisait également partie de la bande originale du film *Sleepless In Seattle*, avec Meg Ryan. Il y avait aussi une chanson plus sombre, *Refuse To Dance*, que Céline décrit comme « le genre de chanson que pourrait interpréter Annie Lennox ou Madonna ».

Le premier single tiré de cet album a été *The Power Of Love*, qui allait devenir le premier succès numéro un de Céline Dion aux États-Unis. La chanson s'est maintenue en tête du palmarès du *Billboard* pendant quatre semaines et a inspiré un degré de confiance suffisant pour justifier une courte tournée américaine en 1994.

Le mariage de René Angélil, 52 ans, et de Céline Dion, 26 ans, fut un événement spectaculaire que d'aucuns pourraient qualifier de mariage de conte de fées. Le 17 décembre 1994, 500 parents et amis se réunissaient pour assister à la cérémonie religieuse célébrée dans l'intimité en l'église Notre-Dame de Montréal. Un défilé de 17 limousines avait amené les invités, et un corps de trompettes avait annoncé l'arrivée du marié.

L'événement était, de tout ce que le Québec avait connu et connaîtrait sans doute jamais, ce qui se rapprochait le plus d'un mariage princier. Le secteur avait été fermé à la circulation de manière à retenir le public qui avait commencé à se rassembler huit heures avant le moment prévu pour la cérémonie. Comme le veut la tradition, la

mariée est arrivée une demi-heure en retard, dans une rutilante Rolls Royce bourgogne escortée de 12 voitures de police.

Le public présent avait enfin droit à sa récompense : jeter un coup d'œil à sa princesse pop au moment où celle-ci pénétrait dans l'église. Elle portait une robe de soie blanche, rehaussée de brillants et de perles minuscules, et garnie d'une longue traîne. Elle avait été dessinée pour elle par la designer montréalaise Mirella Gentile.

À son entrée à l'église, Céline a été accueillie par une sérénade offerte par ses frères et sœurs, qui ont interprété une chanson spécialement composée pour le couple. Puis, elle s'est avancée dans l'allée au son d'un orchestre à cordes jouant *The Colour of My Love*, de l'album du même nom qu'elle avait dédié à son futur époux.

« Je me sentais comme une princesse de conte de fées », déclarait-elle ensuite devant des journalistes. « C'était magique, la cérémonie dont j'avais rêvé. Que j'avais toujours espérée. Je me souviens d'avoir dit « oui » et c'est tout ! »

Après l'échange des vœux, les nouveaux mariés et leurs invités se sont rendus dans un hôtel voisin pour la réception. La salle était décorée d'une pluie de roses, et le vaste escalier était jonché de pétales de fleurs.

Pour Céline, ce fut une journée parfaite : « Je voulais un mariage de conte de fées. Tout comme je vivais déjà une vie de conte de fées ! Famille, mari, carrière. » On a rapporté que les coûts de la noce s'étaient élevés à un demi-million de dollars. La facture d'un événement de cette ampleur monte rapidement. Il faut compter la location des salles, le repas, la robe, les voitures et les chauffeurs, les fleurs, la présence policière, ainsi que la maîtrise de la foule dans les rues avoisinantes. Même avec 500 invités, l'événement était quand même réservé aux membres de la famille et aux amis proches. Mais Céline a huit sœurs et cinq frères, tous plus vieux qu'elle, mariés et ayant des enfants, dont certains sont maintenant mariés et ont eux-mêmes des enfants, sans compter les oncles, tantes, cousins et cousines... « Nous avons 35 neveux et nièces, explique Céline, et plusieurs d'entre eux sont mariés et ont des enfants. Je suis grand-tante ! »

Pour une noce de cette envergure, le gâteau doit nécessairement être énorme, et il l'était. Céline voulait quelque chose de spécial. Comme elle adore les profiteroles, le chef pâtissier avait imaginé un croquembouche composé de plus de 2 000 petits choux caramélisés montés en une pyramide de trois mètres et demi de haut.

CI-CONTRE : *Les nouveaux mariés quittent l'église après leur mariage de conte de fées.*

Les heureux mariés ont refusé les cadeaux de noce, invitant plutôt leurs nombreux admirateurs à faire parvenir des dons au fonds de recherche de la Fondation canadienne de la fibrose kystique. Les dons ainsi recueillis se sont élevés à environ 200 000 $.

Pour leur lune de miel, Céline et René ont choisi de se retirer en Floride pendant trois semaines, refusant toute entrevue ou apparition publique. Ils ont cependant dû faire une entorse à leurs projets lorsque la chanson *Think Twice* est devenue un succès au Royaume-Uni. À la demande de Sony, ils ont donc pris l'avion et se sont rendus en Angleterre le temps d'une participation de Céline à l'émission *Top of the Pops* à la télévision britannique.

En 1995, Céline marquait l'histoire musicale française avec son album suivant, *D'eux*, distribué hors de la francophonie sous le titre de *The French Album*. Toutes les pièces de l'album étaient signées Jean-Jacques Goldman, l'une des vedettes les plus en vue et les plus respectées en France, où on l'a comparé à Bruce Springsteen. Céline, qui ne le connaissait que de réputation, a été à la fois surprise et ravie d'apprendre de sources diverses qu'il avait exprimé le désir de travailler avec elle.

Après quelques coups de téléphone, un rendez-vous était organisé et Céline, Goldman et, bien entendu, Angélil se rencontraient pour un dîner d'affaire. Le ravissement de Céline fut à son comble lorsque Goldman lui révéla qu'il voulait lui écrire un album complet. « J'étais plutôt surprise, admet-elle. Il n'écrit des albums complets que pour lui-même. »

Céline, qui connaissait sans doute la crédibilité de Goldman en France, était flattée. Un jumelage Dion-Goldman susciterait sans doute l'intérêt. En outre, la qualité d'écriture de Goldman parlait par elle-même.

Une personne loyale

Céline s'est ensuite envolée pour le Japon où l'attendait une série d'apparitions et de spectacles. Elle devait également y enregistrer la chanson thème d'une télésérie en dix épisodes intitulée *Koibito Yo* (Mon cher amour). Bien que chantée en anglais, *To Love You More* a connu un succès inespéré. Dès son lancement, le disque s'est vendu à un million et demi d'exemplaires, ce qui le plaçait en première position du palmarès japonais des extraits. Céline Dion devenait ainsi la première artiste non japonaise en 12 ans à atteindre le sommet du palmarès au pays du soleil levant. La chanson était produite par David Foster, qui l'avait écrite en collaboration avec Junior Miles, pseudonyme utilisé par Edgar Bronfman fils, Montréalais d'origine et président du conseil des studios Universal, propriété de Seagram.

Coïncidence étonnante, la dernière artiste étrangère à s'être classée numéro un au Japon avait été Irene Cara avec *What a Feeling*, tirée du film *Flashdance*, la seule

CI-CONTRE : *Une artiste de calibre international : Céline aux Grammy Awards 1995.*

chanson en anglais inscrite au programme des premiers spectacles de Céline.

À son retour à Paris peu de temps après, Céline rencontrait à nouveau Jean-Jacques Goldman pour entendre une partie du matériel qu'il avait préparé pour elle. Goldman lui a soumis plusieurs chansons qui l'ont vraiment touchée. Elle a vu dans les paroles et la musique du chanteur le reflet de ses propres émotions. Les premiers pas vers l'enregistrement de son prochain album étaient franchis. L'album *D'eux*, lancé en 1995, est le résultat de cette collaboration.

Dès sa sortie, *D'eux* prenait la première position au palmarès français. L'album s'est maintenu en tête des palmarès pendant 44 semaines – du jamais vu –, et il a valu à Céline des critiques favorables dans toute la presse française et même des comparaisons avec Édith Piaf. Il lui a aussi valu d'être décorée de l'ordre des Arts et des Lettres, une très haute distinction française. En sept semaines seulement, *D'eux* est devenu l'album le plus vendu de tous les temps en France. Il est aussi devenu le premier album en langue française à avoir été disque d'or au Royaume-Uni. Il s'est maintenu obstinément au premier rang en France jusqu'à ce qu'il soit délogé, plusieurs mois plus tard, par l'album suivant de Céline, *Falling Into You*.

CI-DESSUS : *Céline Dion est la lauréate de nombreux prix.*

Entre-temps, Céline a contribué à un album destiné à recueillir des fonds au profit d'un organisme canadien de recherche sur le cancer du sein, le Canadian Breast Cancer Research Initiative. Intitulé *In Between Dances*, cet album avait germé dans l'imagination de la chanteuse Jacki Ralph Jamieson, de Vancouver, qui avait connu une certaine popularité dans les années 70 comme chanteuse du groupe The Bells. Aux prises depuis cinq ans avec un cancer du sein et des ovaires, elle avait eu l'idée de produire un album qui soulignerait le fait qu'au Canada seulement, environ 5 500 femmes meurent chaque année de divers types de cancer consécutifs au cancer du sein.

Le CD a fini par prendre la forme d'une compilation de 17 chansons réunissant 22 chanteuses canadiennes parmi les plus célèbres. Outre les Jamieson et Dion, on retrouvait k.d. Lang, Sarah McLachlan, Jann Arden, Alannah Myles, Patricia Conroy, Holly Cole, Sara Craig, Michelle Wright, Loreena McKennitt, Susan Aglukark, The Rankin Family, Quartette, Rita MacNeil et Julie Masse. Céline Dion y interprétait *Send Me a Lover*.

Céline a aussi participé à une autre compilation en 1995. Afin de rendre hommage à Carole King et de reconnaître l'influence de cette auteure-compositeure-interprète, des artistes d'aujourd'hui y reprenaient tous les titres de son célèbre album *Tapestry*.

CI-DESSUS : *En concert à l'amphithéâtre Wembley.*

Cette compilation s'intitulait *Tapestry Revisited*, et Céline Dion avait choisi d'y interpréter la chanson *(You Make Me Feel Like a) Natural Woman*.

Le succès de *D'eux* en France s'est reproduit à l'échelle internationale lorsque l'album suivant, *Falling Into You*, est devenu l'album le plus vendu en 1996, atteignant le sommet du palmarès dans au moins 11 pays. Le succès de vente phénoménal de ce disque a permis à Céline de s'imposer dans le monde entier. L'industrie de la musique de divers pays l'a honorée en lui accordant ses prix les plus prestigieux. Aux World Music Awards de Monte-Carlo, elle recueillait trois récompenses : artiste canadienne ayant réalisé les meilleures ventes de disques, artiste pop ayant réalisé les meilleures ventes du monde, et artiste toutes catégories ayant réalisé les meilleures ventes du monde. Au Canada, elle décrochait quatre junos : album le plus vendu à l'étranger ou au pays, prix de la réussite internationale, chanteuse de l'année et, pour son album *Live à Paris*, album francophone le plus vendu. Au 39e gala annuel de remise des Grammy Awards, l'album *Falling Into You* était désigné album de l'année et meilleur album pop.

CI-DESSUS : *Très élégante, Céline assiste aux World Music Awards à Monte-Carlo, en 1995.*

CI-CONTRE : *Céline s'abandonne au plaisir de la fête.*

Comme toujours, Angélil était prêt à tirer profit du succès de l'album et de la visibilité de l'extrait *Because You Loved Me*, qui bénéficiait d'une publicité par association puisqu'il faisait partie de la bande originale du film *Up Close & Personal*, avec Robert Redford et Michelle Pfeiffer. Le film a connu un grand succès en salles aux États-Unis, réalisant des revenus respectables de 11 millions de dollars au cours du week-end où il a pris l'affiche. Angélil a profité de l'occasion et a organisé pour Céline un rigoureux calendrier d'apparitions à la télévision.

Le succès attire le succès. Ainsi, en mars 1996, Céline est apparue à la télévision américaine à la soirée des Grammy Awards, au *Tonight Show* de Jay Leno, à la soirée des Blockbuster Awards et à plusieurs autres émissions télévisées de moindre envergure au cours d'une même semaine. Elle a aussi accordé plusieurs entrevues à la radio et participé activement à la promotion du film *Up Close & Personal*.

Le single *Because You Loved Me* a rapidement grimpé les échelons du *Billboard* américain pour atteindre le numéro un, position où il est demeuré six semaines d'affilée. Quant à l'album *Falling Into You*, il s'est retrouvé dès le départ en deuxième position. Il ne faisait aucun doute que le succès de Céline sur le marché américain s'était consolidé et que son nom était en voie d'être connu partout.

CI-DESSUS : *Céline acceptant avec une joie manifeste un World Music Award en 1995.*

CI-CONTRE : *Dans les bras de René, peu avant sa prestation aux Jeux olympiques de 1996.*

Pour l'enregistrement de *Falling Into You*, l'organisation Dion avait retenu une liste courte mais impressionnante de producteurs de grand talent. Ainsi, David Foster, Aldo Nova, Todd Rungren et Jim Steinman, ont été chargés de produire le gros du matériel nécessaire à l'album. Steinman était surtout connu comme producteur mais aussi comme auteur des chansons de l'album *Bat Out of Hell* du groupe Meat Loaf, ainsi que d'une série de succès pour des artistes tels Bonnie Tyler et le groupe *soft métal* Heart.

Céline jubilait à l'idée de travailler avec un autre personnage légendaire. « Jim Steinman est incroyable ! s'exclamait-elle. Pour lui, chaque chanson est comme un film. » Elle ne voyait pas d'inconvénients à ce qu'il soit très exigeant et qu'il la fasse travailler très fort.

Lors d'une séance d'enregistrement normale, Céline consacrait environ trois heures à chaque chanson et l'interprétait jusqu'à huit fois. Or, Steinman lui demandait de les reprendre en entier jusqu'à 20 et même 30 fois. Céline a décrit Steinman comme un bourreau de travail, ajoutant qu'elle avait été stupéfiée par sa façon de choisir exactement ce qu'il voulait pour chacune des chansons. Elle a déclaré avoir toujours

CI-DESSUS : *En concert en 1996 : une chanteuse au sex-appeal indéniable.*

eu confiance en sa compétence et avoir trouvé agréable de travailler avec quelqu'un qui était prêt à investir autant dans sa tâche.

Jim Steinman a exprimé un égal respect pour Céline. Il a fait remarquer que, même si elle était toujours prête à reprendre l'enregistrement d'une chanson et à faire ce qu'il exigeait, elle savait toujours exactement ce qu'elle attendait de chaque séance d'enregistrement. Il l'a décrite comme « une fonceuse, dans le sens le plus agréable du terme ».

Pour l'enregistrement de *Falling Into You*, on avait pensé collaborer avec Phil Spector, mais cela ne s'est pas concrétisé. Ce très influent producteur avait créé le célèbre « mur du son » (*wall of sound*) des années 60, caractéristique des enregistrements des Ronnettes et du couple Ike et Tina Turner, par exemple. Il avait notamment travaillé avec Scott Walker, le poétique créateur de grandes ballades conçues comme des productions cinématographiques. Spector avait vu Céline Dion lors d'un passage à l'émission *The Late Show* où elle avait interprété *River Deep, Mountain High*, une chanson dont il avait été le premier producteur pour Ike et Tina Turner. C'était un rock-and-roll, genre peu exploité par Céline, mais l'interprétation

CI-DESSUS : *Avec Angélil aux World Music Awards 1997, où elle a remporté de nombreux prix.*

impressionnante qu'elle en avait faite avait suffi à convaincre Spector de communiquer avec elle et de mettre ses talents à sa disposition. Spector n'avait pas supervisé la production d'un album depuis près de 15 ans (sa dernière collaboration remontait à l'album *End of the Century* des Ramones, en 1980).

L'interprétation de *River Deep, Mountain High* par Céline au *Late Show* résultait d'un défi lancé par les producteurs de l'émission, qui avaient demandé à Céline de laisser de côté ses ballades habituelles pour « essayer autre chose ». Ils avaient suggéré du rock-and-roll. Céline s'était montrée à la hauteur de la tâche au point de séduire le producteur d'origine de la chanson qu'elle avait choisi d'interpréter et de le faire sortir de sa semi-retraite. La réaction générale ayant été favorable, la chanson a été intégrée à l'album, mais sans autre référence à Spector.

En effet, la collaboration avec Phil Spector a duré environ deux mois mais a donné peu de résultats. Céline et lui ont travaillé à plusieurs chansons qui sont restées inachevées. Ces séances d'enregistrement, auxquelles participait un orchestre de 60 musiciens, avaient, dit-on, un caractère grandiose. Il semble que le mauvais caractère notoire de Spector ait provoqué des heurts avec presque tous les autres membres de l'équipe participant au projet. C'est peut-être ce qui explique les retards accumulés par Spector et le conflit d'horaire subséquent avec les séances d'enregistrement à New York déjà planifiées pour Céline.

Dans une déclaration à *Entertainment Weekly* qui a été largement reprise, Spector explique en long et en large les raisons de sa brouille avec Céline. Il admire, dit-il, « le talent extraordinaire de madame Dion » mais poursuit en qualifiant les autres personnes en cause « d'amateurs, de débutants et de clones de votre humble serviteur », affirmant que l'équipe semblait rechercher uniquement les succès, « quitte à choisir des chansons emphatiques, affectées, exécrables, toutes identiques, en fait, les pièces rejetées par Whitney Houston et Mariah Carey ». Il poursuit en affirmant qu'il « était évident que l'entourage de madame Dion était plus intéressé à avoir la maîtrise complète du projet et des gens qui travaillaient aux enregistrements qu'à faire entrer Céline dans l'histoire du rock ». Et il conclut : « On ne dit pas à Shakespeare quelle pièce écrire et comment l'écrire. On ne dit pas à Mozart quel opéra composer et comment le faire. On ne dira certainement pas à Phil Spector quelle chanson écrire et comment l'écrire ; ni quel album produire et comment le produire. » Il annonce du même souffle aux lecteurs qu'il a la ferme intention de terminer la production et le

CI-CONTRE : *Une présence rayonnante aux Smash Hits Awards.*

mixage des enregistrements qu'il a réalisés avec Céline (des « enregistrements prodigieux et historiques ») et de les commercialiser sous sa propre étiquette.

David Foster aurait déclaré avoir trouvé l'attitude de Spector « un peu suffisante ». Quant à Jim Steinman, philosophe, il a prétendu en souriant qu'il était « ravi d'être insulté par Phil Spector. » Et de préciser : « C'est mon idole, c'est un dieu pour moi. C'est un grand honneur d'être insulté par Phil Spector. S'il crache sur moi, je me sens purifié. » Par ailleurs, toujours polie et diplomate, Céline Dion a minimisé l'incident en disant qu'elle avait acquis de l'expérience et qu'elle espérait avoir la chance de collaborer encore, quoique de façon plus fructueuse, avec Spector. Et elle ajoutait : « Ça m'a fait vraiment quelque chose, parce que j'aime ce qu'il a écrit. J'ai eu beaucoup de plaisir avec Phil. Il avait deux ou trois mois pour produire trois chansons. Il n'a pas réussi à le faire dans ce délai. Je ne suis pas offensée. Ça va. J'aimerais beaucoup travailler de nouveau avec lui. »

La chanson *Falling Into You* a atteint dès son lancement la deuxième position au palmarès du *Billboard* et y est demeurée pendant des semaines, la première place étant occupée en permanence par une autre Canadienne, Alanis Morissette, avec son album

CI-DESSUS : *Céline sourit après le tournage d'un vidéo des Bee Gees.*

CI-CONTRE : *Elle assiste, réjouie, aux Billboard Awards 1996.*

Jagged Little Pill, un « succès » un peu difficile à avaler. Par contre, la chanson *Because You Loved Me* s'est vite hissée en première position et s'y est maintenue sans défaillir pendant six semaines.

Au Canada, cet album, qui comptait 15 titres, a été reçu avec beaucoup d'enthousiasme. Un disquaire de Toronto a vendu 400 copies du CD en deux heures le jour de son lancement. Sony, qui en avait au départ expédié 400 000 copies, a immédiatement reçu des détaillants des commandes supplémentaires. Grâce au succès instantané de son nouvel album et aux ventes de son album précédent, *The Colour of My Love*, qui dépassaient déjà 12 millions, Céline Dion était en bonne voie de connaître le plus important succès commercial que l'industrie canadienne de la musique ait jamais connu.

En avril 1996, un mois après le premier lancement de *Falling Into You* et à la suite d'une tournée en Australie, Céline Dion avait l'honneur d'être la première artiste à présenter un spectacle au tout nouveau Centre Molson de Montréal. Cet événement a été suivi d'une tournée canadienne à guichets fermés.

En 1996, Céline a accepté encore une fois de participer à un album au profit d'une œuvre de bienfaisance. Intitulé *For Our Children Too*, cet album avait pour but de faire connaître le travail de la Pediatric AIDS Foundation (fondation américaine d'aide aux enfants atteints du sida) et de recueillir des fonds au profit de cet organisme. Céline y interprétait deux chansons, *Brahms Lullaby* (berceuse de Brahms) et *Love Lights the World*, auxquelles ont également collaboré David Foster, Peabo Bryson et Color Me Badd.

Bien que Céline soit l'une des vedettes internationales qui ait, de tous les temps, vendu le plus de disques et ce, le plus rapidement, elle et son mari demeurent des Québécois à part entière. C'est au Québec qu'ils reviennent vivre quand leur rigoureux emploi du temps leur permet de rester au même endroit pendant plus d'une semaine.

En 1996, ils créaient une chaîne de 25 restaurants à travers le Québec, le *Nickels*. On y mange des plats à base de *smoked meat* dans une ambiance de petit restaurant de quartier des années 50.

Au cours de l'année 1996, Céline offrait encore une fois à l'histoire de la musique l'un de ses grands moments. Elle-même convaincue de l'importance de « poursuivre ses rêves », Céline Dion était toute désignée pour interpréter, lors de la cérémonie d'ouverture des Jeux olympiques du centenaire à Atlanta, une chanson composée spécialement pour l'occasion.

CI-CONTRE : *Dans toute l'histoire de la musique, Céline Dion est l'une des stars qui a vendu le plus de disques et celle dont les disques se sont écoulés le plus rapidement.*

Intitulée *The Power of the Dream*, la pièce avait été écrite par trois grands de la chanson, soit Kenny « Babyface » Edmonds et le couple Linda Thompson-David Foster. Ce dernier avait déjà travaillé avec Céline, notamment à titre de producteur de ses deux énormes succès *The Power of Love* (qui lui avait valu une nomination aux Grammy Awards) et *Because You Loved Me*. Foster avait déjà récolté plus d'une douzaine de grammys pour son travail de compositeur, de producteur, de chanteur et d'arrangeur pour divers artistes, dont Barbra Streisand, Whitney Houston, Natalie Cole et Madonna. Trois de ces grammys récompensaient en lui le « producteur de l'année » : le premier en 1984 pour l'album *Chicago XVIII*, le deuxième en 1992 pour *Unforgettable*, de Natalie Cole, et le troisième en 1994 pour son travail sur deux albums tirés de bandes originales de films, *The Bodyguard* avec Whitney Houston et *Sleepless In Seattle* avec Céline Dion. « Babyface » Edmonds, également gagnant de plusieurs Grammy Awards, avait coécrit avec Foster la musique de *The Power of the Dream*, alors que Linda Thompson (qui avait été l'épouse de l'athlète olympique Bruce Jenner) en avait écrit les paroles. La cérémonie d'ouverture du 19 juillet était un événement gigantesque qui allait être suivi grâce à la télévision par un auditoire évalué à quelque six milliards de personnes dans le monde. Plus de 10 000 athlètes de 197 délégations se préparaient à participer aux Jeux. Don Mischer, producteur responsable des cérémonies d'ouverture et de clôture de l'événement, a qualifié *The Power of the Dream* de « ballade touchante et prenante, capable de soulever l'émotion nécessaire pour capter l'attention du monde entier ». Puis il a enchaîné : « Nous avons beaucoup de chance. Les attentes mondiales concernant la cérémonie d'ouverture sont incroyablement élevées. La voix extraordinaire de Céline Dion et les talents combinés de tous les artisans de cette chanson en feront un élément mémorable des cérémonies. »

Céline était évidemment ravie d'interpréter la chanson des Jeux olympiques d'Atlanta. C'était à la fois un cadeau et une occasion d'accroître sa visibilité, une chance de faire entendre sa voix à travers le monde. C'était aussi un honneur d'être choisie pour chanter lors du grand spectacle olympique, dans le même stade que des athlètes qui sont les symboles d'excellence et de réussite partout dans le monde. Elle comprenait et appréciait « les sacrifices qu'ils doivent faire, leur détermination et leur constance dans la poursuite de l'objectif qu'ils se sont fixé. Le dur travail par lequel ils sont passés fait de chacun d'eux un héros, ne serait-ce que pour avoir mérité le privilège d'être ici à la cérémonie d'ouverture ». Céline a aussi relevé des points communs

CI-CONTRE : *Dion et Streisand : Céline a réalisé un autre de ses rêves en chantant avec Barbra.*

entre elle et les athlètes olympiques : « Je comprends l'importance de la discipline pour réaliser ses rêves. »

La relation auteurs-interprète entre le couple Foster-Thompson et Céline Dion s'est poursuivie sur son album suivant, le plus important jusqu'à maintenant, *Let's Talk About Love*, qui a fait l'objet d'un lancement mondial le 11 novembre 1997. L'album précédent *Falling Into You* ayant déjà réalisé des ventes de 25 millions, celui-ci devait faire ses preuves.

Céline ayant déjà reçu un oscar, c'est donc à ce titre qu'elle avait été invitée à interpréter son succès *Because You Loved Me* à la cérémonie de remise des Academy Awards en 1997. Or, par un concours de circonstances, elle allait être amenée à interpréter une deuxième chanson au cours de cette même soirée.

Une des pièces au programme était l'indicatif musical du film de Barbra Streisand, *The Mirror Has Two Faces*, que devait interpréter Natalie Cole. Celle-ci est cependant tombée malade et a dû céder sa place. La personne toute désignée pour la remplacer, Barbra Streisand elle-même, a dû à son tour refuser l'invitation, n'étant pas certaine de pouvoir arriver à temps pour le spectacle. La chanson était déjà à l'horaire ; les pro-

ducteurs du gala ont donc demandé à Céline si elle accepterait de chanter la chanson de Streisand en plus de la sienne. On était à la veille de l'événement, mais Céline a accepté d'emblée : « Bien sûr, quand on aime chanter ! » Elle n'avait pas le temps de répéter la chanson ni d'en mémoriser les paroles, mais elle était déterminée à ne pas laisser passer cette occasion de chanter devant un auditoire international, accompagnée d'un grand orchestre. Elle a simplement demandé que l'on colle le texte de la chanson sur le pied de son micro.

Le soir du gala, comme elle était sur le point d'entrer en scène, Céline a appris que Barbra Streisand avait réussi à se rendre et se trouvait probablement dans la salle. Céline se rappelle avoir scruté les premiers rangs à la recherche des grands yeux verts de Streisand.

Elles se sont rencontrées après le gala, et le lendemain, Céline recevait un bouquet de fleurs accompagné d'une note de Barbra lui proposant qu'elles chantent ensemble. René Angélil a pris la proposition au sérieux et il a communiqué avec l'agent de

CI-DESSUS : *Céline célèbre en compagnie de Lionel Ritchie aux World Music Awards 1997.*

Streisand pour concrétiser le projet. Céline était transportée de joie à cette perspective. « Elle est ma chanteuse favorite, déclarait-elle, j'ai souvent chanté en même temps qu'elle en écoutant ses disques. »

Céline a fait appel à un grand nombre d'amis et de connaissances dans l'industrie de la musique afin de réunir une impressionnante brochette de talents qui ont enregistré avec elle l'album qu'elle a appelé « l'album de ma vie ». La liste comprend la crème des représentants de la musique pop.

Pour la chanson *Tell Him*, Céline chante en duo avec une légende vivante de la chanson, Barbra Streisand. Céline était ravie de pouvoir enfin travailler avec Barbra : « C'est la plus belle expérience de ma carrière. Un autre rêve réalisé. Je l'ai toujours admirée, en tant qu'artiste et en tant que femme. »

Tell Him a été écrit par le tandem Foster-Thompson, avec le concours de Walter Afanasieff, qui a produit la majorité de l'album. Cette chanson, qui devait être le premier single de l'album *Let's Talk About Love*, a été transmise par satellite à des fins promotionnelles à toutes les stations de radio des États-Unis le soir du 7 octobre. Barbra Streisand a aussi intégré une version de cette chanson à son propre album, *Higher Ground*. Les deux chanteuses ne se sont pas rencontrées en studio pour réaliser l'enregistrement. Barbra a d'abord enregistré son interprétation, puis Céline a ajouté sa partie en suivant la direction et le rythme donnés par Barbra. Dans le vidéoclip, on voit les deux chanteuses interpréter la chanson ensemble, ce qu'elles ont effectivement fait par la suite, pour s'amuser. « Nous l'avons chantée ensemble par plaisir, a expliqué Céline. Parce que nous en avions envie, parce que j'en avais envie. »

Pour la chanson *The Reason*, Céline a fait équipe avec une autre de ses idoles, Carole King, qui a écrit la chanson et qui l'accompagne au piano. À propos de sa collaboration avec Carole King, Céline a déclaré : « C'était comme si elle était ma sœur. » Pour cet enregistrement, on a fait appel à Sir George Martin, dont c'était l'une des dernières réalisations à titre professionnel avant sa retraite. Dès le début d'une carrière couvrant cinq décennies, George Martin avait écrit une page de l'histoire de la chanson à titre de producteur des Beatles. Céline parle avec beaucoup d'affection de son association avec Martin et déclare : « Je me souviendrai toujours avec tendresse de ma rencontre et de ma collaboration avec lui. »

Les Bee Gees ont écrit pour Céline et interprété avec elle la chanson *Immortality*, dont Walter Afanasieff a assuré la production. Céline connaissait depuis son enfance la musique des Bee Gees, que ses frères et sœurs avaient beaucoup écoutée. Aussi s'étonnait-elle, incrédule : « Je ne peux pas croire qu'ils m'ont écrit une chanson ! »

Pour la chanson *I Hate You, Then I Love You*, reprise de *Never, Never, Never*, Céline a su relever le défi et abolir la barrière des genres musicaux en partageant le micro avec un autre artiste au talent fabuleux, le ténor virtuose Luciano Pavarotti. Pour Céline, les séances d'enregistrement de cet album ont été une extraordinaire suite de rencontres avec des personnes qu'elle admirait et avec qui elle rêvait de collaborer. De Pavarotti, elle dira qu'il est « le plus grand chanteur du monde », ajoutant que « d'avoir eu la chance de chanter à ses côtés [lui] a ouvert un monde nouveau ».

My Heart Will Go On, chanson extraite de la bande originale de l'imposant — dans tous les sens du terme — *Titanic*, était signée James Horner, l'un des plus grands compositeurs de musique de film. La chanson est devenue étroitement liée à l'énorme machine publicitaire du film, de sorte que le succès de l'un et de l'autre se sont nourris mutuellement.

Lorsque James Horner a proposé la chanson à Céline, celle-ci a été tout de suite touchée au plus profond de son être et elle a compris que cette chanson était faite pour elle, et vice versa. « Il m'a si bien expliqué le film, raconte Céline, que j'en avais les larmes aux yeux. J'ai tout de suite chanté la chanson avant d'avoir vu le film. J'étais si touchée que j'étais prête à entrer en studio pour enregistrer. »

À l'origine, le réalisateur de *Titanic*, James Cameron, ne voulait pas de chansons pour son film, mais René Angélil a insisté pour que James Horner prépare une maquette de sa chanson interprétée par Céline et qu'il la présente à Cameron. Il l'a fait, et c'est ainsi que la chanson s'est retrouvée sur la bande originale du film et qu'elle a remporté un oscar.

À cause de la popularité des chansons qu'elle a interprétées pour le cinéma, Céline Dion a été associée au succès de plusieurs films : *Beauty and the Beast*, *Sleepless in Seattle*, *Up Close & Personal* et *Titanic*. Elle est aussi très attirée par l'idée de faire elle-même du cinéma. Elle a déjà tâté le domaine grâce à son rôle dans la série *Des fleurs sur la neige* et à une récente apparition surprise dans la populaire comédie américaine *The Nanny*. A-t-elle l'intention de suivre les traces de Whitney Houston et de Barbra Streisand, et de combiner sa carrière d'interprète avec une carrière au cinéma ? « Tout à fait », dit Céline. « Ma prochaine étape sera de jouer dans un film. Une interprète est forcément une actrice. Je sais que je suis une actrice ; je sais que je peux réussir. Je suis prête à travailler dur, mais je veux faire un film. » Elle insiste cependant pour dire que si elle fait du cinéma, ce sera comme actrice et non comme chanteuse se produisant

CI-CONTRE : *Lors d'une émission spéciale présentée en 1997 à la télé américaine,* A Gift of Song,

en compagnie de Bryan Adams.

à l'écran. Elle adorerait chanter dans un film, bien entendu, mais pas si elle devait être perçue comme Céline Dion jouant dans un film, ni comme Céline Dion portant un nom fictif. Elle a, par exemple, exprimé le désir de tenir le rôle d'Édith Piaf dans un film biographique. Elle rêve de représenter au cinéma cette grande chanteuse française au répertoire tragique et passionné. Des rumeurs ont également circulé selon lesquelles Gérard Depardieu lui aurait offert de jouer à ses côtés dans un film à venir et qu'il y aurait eu des pourparlers à ce sujet avec Angélil.

Plusieurs éditions de l'album *Let's Talk About Love* ont été lancées simultanément sur le marché. L'édition dite « asiatique » comprenait une chanson intitulée *Be the Man*, qui devait devenir l'indicatif musical d'une grande série dramatique conçue pour le réseau de télévision Fuji, au Japon. C'était la deuxième fois que Céline contribuait ainsi à une série télévisée japonaise, et cette fois encore avec une chanson composée et produite par David Foster.

Dans une autre édition, Céline chantait un titre original en espagnol. Cette chanson, intitulée *Amar haciendo el amore*, apparaît dans une édition destinée à l'Amérique latine, à l'Europe et au Canada.

Le choix qu'avait fait Céline de travailler avec des noms aussi prestigieux représentait en quelque sorte un risque important. Les Streisand, Pavarotti et autres n'attiraient pas beaucoup le public pop-rock qui lui était fidèle. La présence de ces artistes invités jette peut-être des ponts entre les catégories musicales, mais elle risque aussi d'éloigner le jeune public indispensable au maintien du succès de vente auquel Céline s'était habituée. Bien des radios commerciales ont rayé la chanson *Tell Him* de leurs listes d'écoute, alors que des stations visant un public plus âgé la faisaient tourner.

Tell Him devait être le premier single de *Let's Talk About Love*, mais aux États-Unis, Sony a plutôt misé sur *My Heart Will Go On*. C'était un choix nettement plus sûr, la sortie simultanée de la bande sonore de *Titanic* assurant une visibilité immédiate à la chanson. Tel que prévu, par contre, la chanson *Tell Him* a remporté le succès escompté à l'étranger et s'est hissée en troisième position des palmarès britanniques.

Certains critiques influents ont eu des mots plutôt durs à l'endroit de l'album au moment de sa sortie. Au Royaume-Uni, le *Sunday Times* concluait sa critique sur ces mots : « Si nous devions accorder à l'album une note de 1 à 10, la musique obtiendrait probablement un 4, mais l'organisation Dion mériterait un 10 pour ses jeux de pouvoirs, ses tractations et son réseau de contacts. » Le *New York Times* a qualifié le produit de « luxueux et ampoulé », alors que le *Toronto Sun* parlait de « fioritures vocales sans âme ». D'autres journalistes ont qualifié Dion de « déjà vieille et démodée avant ses 30 ans » et, pour le démontrer, ils ont pris la peine de mentionner l'âge de ses collaborateurs : Streisand et King, 55 ans, les frères Gibb (des Bee Gees), entre 48 et 51 ans, Pavarotti, 62 ans, et Sir George Martin, 71 ans.

Céline a répondu à ces critiques en disant : « Je ne cherche pas ce qui est à la mode mais ce qui a de la classe. Je suis simplement moi-même. » Elle faisait aussi remarquer : « J'ai gagné assez d'argent pour le reste de mes jours. Chaque fois que j'ai enregistré un album, je l'ai fait avec mon cœur et mon âme. Toutes mes chansons sont importantes à mes yeux. J'ai travaillé avec les plus grands artistes du monde. Si cet album ne marche pas, j'aurai quand même eu un immense plaisir à le faire. »

Quant aux accusations de « surproduction », Céline est d'avis que « la surproduction n'est pas un mal ; c'est une bonne chose, c'est le haut de l'échelle, c'est *Autant en emporte le vent* ».

Les ventes faramineuses de l'album sont révélatrices. *Let's Talk About Love* a été l'un des albums qui s'est vendu le plus rapidement de l'histoire du disque. Céline s'est

CI-CONTRE : *Reine de la chanson, Céline chante devant des membres de la famille royale.*

mieux vendue que Streisand et Elvis Presley, dépassant les 45 millions de disques en deux ans. Pendant la première moitié de 1998, ses disques se sont écoulés plus rapidement que ceux de n'importe quel autre artiste auparavant.

Bien qu'elle se soit défendue de faire de la politique, Céline Dion s'est servie de sa musique pour influencer le cours des choses. Elle est l'équivalent d'un émissaire royal pour le Québec. À ce titre, elle a été invitée à chanter à la Maison-Blanche lors de la cérémonie d'investiture de Bill Clinton – une expérience qu'elle a qualifiée d'« excitante ». Elle a expliqué qu'elle avait été honorée de recevoir cette invitation : « Quand vous n'êtes pas née aux États-Unis et qu'on vous demande de vous joindre à la famille des États-Unis, c'est-à-dire au peuple américain, pour partager un moment très important, c'est spécial, c'est un grand honneur que l'on vous fait. »

Chaque fois que Céline participe à des événements politiques, elle transmet le même message implicite : il faudrait tenir compte des émotions et de l'âme humaine dans tous les domaines de la vie, et tout spécialement en politique, où ces dimensions

CI-DESSUS : *Un moment plus léger : elle participe à l'émission de télé Sesame Street.*

CI-CONTRE : *Céline ne s'occupe pas de politique ; pour elle, les émotions et l'âme sont ce qu'il y a de plus important.*

sont universellement négligées. La musique traverse les barrières de la langue et de la culture ; elle peut créer des liens ou attiser la discorde. Partout où elle chante, Céline Dion symbolise le pouvoir du rêve. Son succès est la preuve qu'on peut réussir si on a confiance en son talent et si on persévère. Il n'y a pas de mal à avoir la tête dans les nuages, si on garde les pieds sur terre.

En avril 1998, Céline Dion participait, avec un important groupe de vedettes, à un gala bénéfice en faveur de la réintroduction de l'enseignement de la musique dans les écoles publiques aux États-Unis. Parmi les chanteuses présentes, on remarquait Aretha Franklin, Mariah Carey, Gloria Estefan et une autre Canadienne qui fait carrière à l'étranger, Shania Twain.

À l'approche du nouveau millénaire, qu'est-ce que l'avenir peut bien réserver à Céline Dion ? Celle qui a déjà réussi de façon si spectaculaire se fixe toujours de nouveaux défis. En plus de caresser des projets de cinéma, elle s'est mise au golf.

Le golf est, pour elle, une sorte de métaphore de sa carrière de chanteuse et même de toute sa vie. Elle a commencé à y jouer pour partager cette activité avec René qui

s'y adonne depuis 25 ans. Céline prend ses loisirs au sérieux, comme tout ce qu'elle entreprend. Elle a donc tout arrêté pendant un mois pour prendre des cours. Selon elle, au golf comme dans le monde du spectacle, l'attention, la concentration et la maîtrise sont essentiels. Dans les deux cas également, « on cherche à faire mieux, à se dépasser ».

Sur le plan personnel, Céline et René espèrent avoir un enfant, bien que Céline ait l'intention de se consacrer entièrement à cette tâche, le cas échéant. « Mon enfant aura besoin de toute mon énergie. Je devrai lui consacrer du temps et, actuellement, je pense *chanteuse*, je pense *scène*, je pense *tournée*. »

Une récente étude révélait que Céline Dion est la personnalité la plus célèbre, la plus connue et la plus estimée au Québec. Selon un sondage réalisé par la firme Léger et Léger, plus de 90 pour 100 de la population avait une opinion favorable de la chanteuse, alors que seulement 68,5 pour 100 avait du bien à dire du premier ministre Lucien Bouchard, pourtant considéré comme très populaire sur le plan politique. On a sans aucun doute tenu compte de ces éléments au moment de choisir Céline comme porte-parole de Coke Diète pour le Canada. Aux États-Unis, Céline Dion a atteint un tel degré de célébrité qu'elle a fait la couverture du *Time*.

CI-DESSUS : *De nouveaux défis pour le prochain millénaire ?*

CI-CONTRE : *Aux 70ᵉ Academy Awards, à Los Angeles.*

Avec 18 albums à son crédit, sa notoriété médiatique et ses multiples contributions à des œuvres de bienfaisance ont valu à Céline l'honneur de recevoir le titre d'officier de l'Ordre du Canada, l'une des distinctions les plus prestigieuses que le Canada puisse accorder. Cette distinction lui a été décernée lors d'une cérémonie tenue le 1er mai 1998 à Rideau Hall, la résidence du gouverneur général du Canada, à Ottawa. Cette cérémonie se déroulait le lendemain même d'une cérémonie semblable qui avait eu lieu à Québec alors que Céline Dion recevait l'Ordre national du Québec, la plus haute distinction offerte par sa province natale.

En jetant un regard sur la carrière grandiose qu'elle a connue jusqu'ici, a-t-elle quelques regrets, même minimes ? Apparemment non, car Céline déclare : « J'ai vraiment apprécié tout ce que j'ai accompli, et j'y ai pris grand plaisir. Je ne veux pas regarder en arrière. J'ai de grandes attentes face à moi-même pour l'avenir. J'ai toujours espéré et désiré que tout soit merveilleux dans la vie, surtout dans le domaine du spectacle, et tout se passe exactement comme je l'avais imaginé. »

CI-DESSUS : *Céline assiste, en tenue grand chic, à la présentation de la collection Chanel hiver 1997-1998, à Paris.*

CI-CONTRE : *Une élégante invitée à la présentation de la collection Dior hiver 1998-1999.*

SINGLES

Ce n'était qu'un rêve (1981)
L'amour viendra (1981)
La voix du bon Dieu (1981)
D'amour ou d'amitié (1983)
Un amour pour moi (1984)
Une colombe (1984)
Mon rêve de toujours (1984)
C'est pour toi (1985)
C'est pour vivre (1985)
Fais ce que tu voudras (1985)
Délivre-moi (1987)
Incognito (1987)
Lolita (1987)
On traverse un miroir (1987)
Comme un cœur froid (1988)
D'abord c'est quoi l'amour (1988)
If There Was (Any Other Way) 1990
Where Does My Heart Beat Now (1990)
Last to Know (1991)

(You Make Me Feel Like a) Natural Woman
    (1995)
Because You Loved Me (1996)
It's All Coming Back to Me Now (1996)
All by Myself (1997)
To Love You More (1997)
Tell Him (1997, avec Barbra Streisand)
My Heart Will Go On (1997)

ALBUMS

La voix du bon Dieu (1981)
Céline Dion chante Noël (1981)
Tellement j'ai d'amour (1982)
Chants et contes de Noël (1983)
Les chemins de ma maison (1983)
Les plus grands succès de Céline Dion (1984)
Mélanie (1984)
Les oiseaux du bonheur (1984, compilation en
    vente en Europe seulement)

Discographie

Ziggy (1991)
Have a Heart (1991)
Beauty and the Beast (1991, avec Peabo Bryson)
If You Asked Me To (1992)
Des mots qui sonnent (1992)
Je danse dans ma tête (1992)
Nothing Broken But My Heart (1992)
Love Can Move Mountains (1992)
Water from the Moon (1993)
When I Fall in Love (1993, avec
    Clive Griffin)
Did You Give Enough Love (1993)
The Power of Love ·(1993)
Misled (1994)
Think Twice (1994)
L'amour existe encore (1994)
Only One Road (1994)
Pour que tu m'aimes encore (1995)
Je sais pas (1995)

Céline Dion en concert (1985, album enregistré
    en spectacle)
C'est pour toi (1985)
Les chansons en or (1986, compilation)
Incognito (1987)
Vivre (1989, compilation en vente en Europe
    seulement)
Unison (1990)
Dion chante Plamondon (1991, paru en Europe
    sous le titre Des mots qui sonnent)
Celine Dion (1992)
The Colour of My Love (1993)
Les premières années (1993, compilation)
Céline Dion à l'Olympia (1994, album enregistré
    en spectacle)
D'eux (1995)
Falling Into You (1996)
Falling Into You (1996, édition australienne avec,
    en prime, un CD enregistré en spectacle)

Celine Dion: The Collection (1996, compilation promotionnelle, non mise sur le marché)
Céline Dion Gold, Volume 1 (1996, compilation, en vente au Canada seulement)
Céline Dion Gold, Volume 2 (1996, compilation, en vente au Canada seulement)
Live à Paris (1996, album enregistré en spectacle, en vente au Canada seulement)
Let's Talk About Love (1997)

PARTICIPATIONS À DES ENREGISTREMENTS
COMME ARTISTE INVITÉE ET DUOS

True Love (1989, album de Dan Hill)
CHANSON : *Wishful Thinking* (duo avec Dan Hill)

Spellbound (1989, album de Billy Newton Davis)
CHANSON : *Can't Live With You, Can't Live Without You* (duo avec Billy Newton Davis)

Listen to Me (1989, single)
duo avec Warren Wiebe

Tycoon (1992, bande sonore, compilation)
CHANSONS : *Ziggy* (version anglaise) *et Tonight We Dance – Extravagance*

Beauty and the Beast (1992, bande sonore)
CHANSON : *Beauty and the Beast* (duo avec Peabo Bryson)

Sleepless in Seattle (1993, bande sonore)
CHANSON : *When I Fall in Love* (duo avec Clive Griffin)

Mario Pelchat (1993, album de Mario Pelchat)
CHANSON : *Plus haut que moi* (duo avec Mario Pelchat)

Cosmopolitan Vol. 7 (1993, album compilation)
CHANSON : *If There Were Any Other Way*

Christmas Album (1993)
CHANSON : *The Christmas Song*

Kubaya (1994, album compilation)
CHANSON : *Send Me a Lover*

In Between Dances (1995, album compilation au profit de la Canadian Breast Cancer Research Initiative)
CHANSON : *Send Me a Lover*

Tapestry Revisited (1995, album en hommage à Carole King)
CHANSON : *(You Make Me Feel Like a) Natural Woman*

Grammy Awards Nominees (1995, album compilation)
CHANSON : *The Power of Love*

Women for Women 2 (1996, album compilation)
CHANSON : *Send Me a Lover*

Siren Song: A Celebration of Women in Music (1996, album compilation)
CHANSON : *If You Asked Me To*

Amigos (1996, album de Paul Anka)
CHANSON : *Mejor decir adios (duo avec Paul Anka)*

For Our Children Too (1996, album compilation au profit de la Pediatric AIDS Foundation)
CHANSONS : *Brahms Lullaby et Love Lights the World* (avec David Foster, Peabo Bryson et Color Me Badd)

Grammy Awards Nominees (1997, album compilation)
CHANSON : *Because You Loved Me*

Greatest Dance Album in the World (1997, album compilation)
CHANSON : *It's All Coming Back to Me Now*

Diana Princess of Whales (1997, album compilation en hommage à la princesse de Galles)
CHANSON : *Because You Loved Me*

Superstar Christmas (1997, album compilation)
CHANSON : *The Christmas Song*